En estado de gol

7/20 31

En estado de gol

Silvia Molina

Molina, Silvia
  En estado de gol / Silvia Molina ; ilus. de Sergio Bordón. –
México : Ediciones SM, 2008 [reimp. 2013]
94 p. : il. ; 19 x 12 cm. – (El barco de vapor. Roja ; 20 M)

ISBN : 978-970-688-909-6

1. Novela española. 2. Literatura infantil. 3. Amor – Literatura infantil. 4. Madurez emocional – Literatura infantil. I. Bordón, Sergio,
il. II.
t. III. Ser.

Coordinación editorial: Laura Lecuona
Edición: Ana Sofía Ramírez Heatley
Ilustraciones y cubierta: Sergio Bordón
Diagramación: Marina Mejía

Primera edición, 2008
Sexta reimpresión, 2013
D. R. © SM de Ediciones, S. A. de C. V., 2008
Magdalena 211, Colonia del Valle,
03100, México, D. F.
Tel.: (55) 1087 8400

Para conocer SM, su fondo editorial y sus servicios: www.ediciones-sm.com.mx
Para andar entre, hacia y con los libros: www.andalia.com.mx
Para comprar libros de SM en línea: www.libreriasm.com

ISBN 978-970-688-909-6
ISBN 978-968-779-176-0 de la colección El Barco de Vapor

Miembro de la Cámara Nacional de la Industria Editorial Mexicana
Registro número 2830

Impreso en México / *Printed in Mexico*

A Rodrigo Gutiérrez

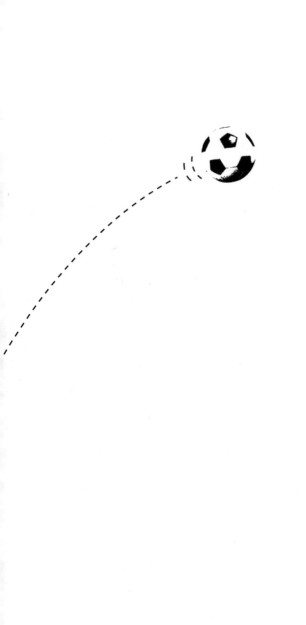

*Es muy difícil encontrar otra circunstancia
[además del estado de gol] que impulse
a darle puñetazos al aire y soltar un alarido.
El resorte que activa al fan tiene claves
internas —agravios, deseos de reparación,
supersticiones, anhelos incumplidos—
que se condensan al ver la pelota en la red.*

JUAN VILLORO

La timidez me ha ayudado a triunfar.

*Mis padres me educaron dándome
cariño y protección. Y eso que mi padre
nunca me expresó su amor con palabras,
nunca me dijo "Te quiero".
Y, sin embargo, yo sabía que me
quería más que a nada.*

ZINÉDINE ZIDANE

I

Estoy enojado. Cuando uno se enoja, cruza los brazos, tuerce la boca y se pone de mal humor. Tengo los brazos cruzados, pero no puedo torcer la boca porque uso braquets y me lastiman.

Eso de los braquets está pesado, pero ni modo, los necesito. Ya llevo tres semanas con ellos y ahí voy más o menos, aunque lo que sea de cada quien, la mayor parte del tiempo hasta se me olvida que los tengo. Cuando me conociste no los usaba, me los puso aquí la dentista de mi prima Isabel, que le dejó los dientes parejitos, parejitos. Y no es por nada, pero qué bueno que se los arreglaron porque con todo y sus dientes bonitos es medio nerd.

Estoy de un humor que no tengo ganas de hablar, y no es que sea un perico de feria, como diría mi mamá, pero no se me antoja ni abrir la boca.

Cuando estoy tan enojado, respiro profundamente, cuento hasta diez y escribo lo que pienso y lo que siento para calmarme, porque un día pateé una pared del comedor y me rompí el dedo gordo del pie derecho y estuve vendado tres semanas, que son muchas. ¡De verdad! ¡Anduve tres semanas con una muleta, no sólo incómodo, sino con el temor de no volver a jugar futbol! ¿Qué tal si me quedaba el dedo chueco?

Otra vez estaba tan furioso que rompí un juego de armar, y mi papá me castigó una semana sin chatear: le puso un candado a la computadora y en ella sólo podía hacer la tarea. No pude consultar ninguna página de internet porque por más que intenté romper el seguro, no lo logré.

Así que mejor me controlo, respiro hondo, cuento hasta diez y pienso que ése es el número de mi futbolista favorito. Luego recuerdo su forma de patear la pelota, sus goles, y me voy calmando poco a poco. Es como cuando te sacan tarjeta amarilla porque se te pasó la mano marcando a un contrario, y te calmas o te calmas.

II

¿TE GUSTA el número diez? Para mí es un número mágico, de buena suerte. Si estudiaste un poco y te acuerdas de las explicaciones del maestro, pasas el examen con diez. ¿No es suerte? Si sumas los cuatro primeros números, 1 + 2 + 3 + 4, el resultado es diez. ¿No es magia? Y si le quitas el cero queda el uno. El número uno, el primero. Como quien dice, se vuelve a comenzar.

Todos quisiéramos ser los primeros, ¿no? Yo quería ser el primero en la lista de la escuela, pero soy *m* de Morales, siempre de los últimos. Soñaba con pasar lista, desaparecer y regresar al salón cuando fueran en la *z*. Como me la pasaba soñando eso, el profesor me regañaba:

—¡Morales!, ¡despierte o le pongo falta!

Un día que le conté ese deseo a mi papá, me dijo que mi sueño se cumplía porque la imaginación me llevaba a otro lado mientras pasaban lista. Ahora mi deseo es que mientras hago un examen, llegue otro a contestarlo, o que me sople al oído las respuestas. Sería padrísimo, ¿no crees?

¿Te gusta el futbol? A mí me parece el mejor deporte del mundo. Sé que no a todas las chavas les gusta, pero cuando son aficionadas, pueden ser mucho más entusiastas que los chavos, ¿no? Te voy a poner un ejemplo: la tía de Mario.

La tía de Mario era porrista de los Monarcas. ¡La hubieras visto!, sabía más que nosotros de futbol. Cuando íbamos en primaria, Mario decía que su tía Paca era su entrenadora y su consejera. Y él era bueno para los goles y para marcar. Un día nos llevó al estadio y vimos el partido atrás de la portería. Hasta nos daban ganas de parar el balón.

El número diez es mi favorito porque lo llevó Zizou, es decir, Zidane. Zinédine Zidane, el mejor futbolista del planeta, el que más admiro. Has oído hablar de él, ¿verdad?

- Balón de Oro en 1998,
- Mejor Jugador del Año según la FIFA en 1998, 2000 y 2003,
- Campeón del mundo y de Europa con la selección francesa,
- Finalista en Alemania en 2006 y Mejor Jugador del Mundial en 2006.

No sé si recuerdas que fue expulsado en el campeonato mundial de Alemania por darle un cabezazo a Materazzi. ¿Te suena?

Voy a hacer un blog de Zidane, y subiré a la red todas las fotos que he ido coleccionando y que te mostraré un día. Tengo más de ochenta en dos álbumes que me regaló mi papá.

Sólo pocos saben que el cabezazo a Materazzi no fue el primero que daba Zizou en su carrera: el 24 de octubre de 2000 le dio uno a Jochen Kientz del Hamburgo, y lo castigaron con cinco partidos sin poder jugar.

Zidane tiene su mal genio, no vayas a creer que es un santo. Pero, ni modo, es mi futbolista favorito y debe hacer un esfuerzo, como yo, para controlarse. Pensar en él me ayuda a no descuidarme.

También Ronaldinho es el número diez. Según mi papá él es el número uno después de Zidane. ¿Será?

Así que después de contar hasta diez y pensar en algún gol de Zizou, me siento menos enojado, pero no del todo tranquilo ni mucho menos contento. Sólo que me aguanto las ganas de patear la pared. Por eso te estoy escribiendo, lo hago para calmarme y porque tengo ganas de hablar contigo.

Pienso que es mejor escribirte para que me conozcas, que contarme a mí mismo lo que ya sé hasta el cansancio. Sería como meterme un autogol, ¡qué caso!

III

No tengo idea, ni la más remota, de por dónde comenzar a platicarte lo que me pasó hoy en la escuela. El comienzo de algo siempre es complicado y difícil, ¿no crees?

Cuando el entrenador del equipo de fut me dijo que tenía que tomar menos refrescos y dormirme temprano para estar en forma, me costó trabajo. Es decir, me pareció pesado el arranque, hacerme la promesa de dejar también las papas fritas que comía viendo la tele y el pan con mermelada que se me antojaba siempre que estaba chateando. Ahora cuando menos ya no ensucio el mouse de la computadora ni el teclado, ni dejo migajas en la mesa. Hasta ahora me doy cuenta de lo tonto que era arriesgando mi compu. Y además ya no me regaña mi mamá como antes: "¡Mira nada más cómo dejas todo!"

Mi compu se llama Grenetina. Le puse así porque me gusta esa palabra desde niño. Un día mi mamá estaba cocinando y me pidió que se la pasara.

—¿Qué? —le pregunté.

—La grenetina.

—¿Qué es eso?

¿Sabes qué me contestó?

—La grenetina es la grenetina.

O sea que me quedé en las mismas, pero me gustó la palabra. Luego me dijo que era sinónimo de *gelatina,* que se hace con grenetina. Pero suena a nombre de mujer, ¿a poco no?, como Carolina, Valentina, Ernestina o Angelina.

No es lo mismo que decir "Puerta quiere decir puerta" porque te imaginas la puerta; pero si nunca has visto la grenetina ni sabes para qué sirve, pues no te imaginas nada.

—¿Por qué le pusiste así a la computadora? —me preguntó mi hermana.

—Porque tiembla cuando te ve —le hice una broma.

La Grenetina me permite averiguar todo lo que no sé, como si fuera una varita mágica, porque entro a cualquier buscador y, ¡chas!, allí está la respuesta. ¿Tú le has puesto nombre a tu computadora? Me imagino que tienes una, ¿verdad?, aunque sea una familiar como la nuestra. Peor es nada.

Pero te estaba hablando de cambiar, del esfuerzo que uno hace por lograrlo. También me pareció difícil no ver la tele hasta tarde. Disfrutaba los programas de deportes hasta las once, once y media o más, que es cuando pasan los reportajes más interesantes. ¿No es cierto? Te hacen esperar hasta muy noche para que no apagues la televisión. Como mi mamá, que durante el Mundial de Alemania se quedaba sentada frente al aparato sólo para esperar que apareciera el Güiri Güiri con los personajes que interpreta. Dice que es el mejor cómico de la televisión. Su personaje favorito es el Doctor Chunga porque le recuerda a un profesor de Química que se hacía bolas con las fórmulas.

—Igual de viejito y loco —dice mi mamá.

No fue sino hasta que tomé la decisión, cuando me dije: "A ver, güey, decide qué quieres, ¿entrenar con la selección de la escuela o verla jugar y sentirte todo frustrado?", cuando, ¡pum!, ya estaba. Logré todo lo que no podía hacer antes.

Al principio fue difícil mantenerme firme para cuidar mi condición física. Ahora me siento más ágil, además estoy fuerte porque como bien y hago ejercicio.

Soy delantero, como Miguel Sabah y César Villaluz del Cruz Azul, ¿sabes?, o sea que juego en posición de ataque. La función del delantero es, sobre todo, anotar o colocar la pelota en los pies del compañero para que anote. Los delanteros somos rápidos con el pie y la cabeza y marcamos a los defensas en los tiros de esquina en contra de nuestro equipo. No es que uno sea sucio, pero el juego requiere mañas; más vale tenerlas y ponerte listo para que no te den un trancazo. Hay que saber aguantar el marcaje y no enojarse, el chiste es no perder el control.

Convencerte de que debes hacer algo no cuesta trabajo, ¿no es cierto? Hacerlo es lo complicado, no sé por qué. Bueno, sí lo sé: porque debes cambiar tus hábitos.

Mi papá ha prometido cuatro veces dejar de fumar y allí anda con su cajetilla de cigarros en la bolsa de la camisa o del traje; y mi mamá siempre dice: "Éste es el último chocolate" o "Mañana me pongo a dieta", y los dos caen en la tentación. No es fácil.

Qué suerte que mi papá no fume puro porque el olor sería insoportable. Si así es horrible llegar a la casa y sentir el olor de las colillas por todos lados, ¿te imaginas cómo sería soportar el de un puro?

Mi mamá no fuma, pero le da igual que la gente lo haga o no. No le molesta. A mí sí me molestan el humo y el olor de las colillas. Y seré muy sangrón o muy nerd, pero por el futbol no fumo ni a escondidas: no pienso arriesgar mi condición física. No vale la pena.

Hasta que mis papás no tengan la suficiente voluntad, no van a lograr hacer lo que desean. O a lo mejor no quieren dejar de hacer lo que dicen que quieren dejar de hacer, ¿verdad?

Y los entiendo, no creas que no, porque siempre hay una vocecita que te habla por dentro y te echa a perder todos tus planes al darte malos consejos, y es muy difícil ignorarla. "Disfruta tu chocolatito ahora y mañana comienzas tu dieta. Mañana, no te apures." ¿No? Está grueso hacer una dieta cuando los demás comen frente a ti lo que tú no puedes. Ya me imagino a mi papá diciendo: "Éste es mi último cigarro, ahora sí". ¿Fuman tus papás?

En cambio, mi hermana Susana tiene una voluntad de santa: puede ver su postre favorito sobre la mesa, tarta de manzana, y no lo prueba aunque se le haga agua la boca. Mi hermana se cuida porque practica gimnasia olímpica. Bueno, lo hacía cuando estábamos en Morelia, y esperemos que siga entrenando aquí porque también está de mal humor y aguantarla es más pesado que una de esas planchas de carbón, como las que pone la abuela para detener las puertas del patio para que no se cierren de un golpazo por el viento.

Mi hermana Susana está en una edad insoportable. Un momento está feliz, y al siguiente está llorando. Un momento se pinta las uñas y al siguiente abraza a su muñeca. Como que no sabe ni qué quiere, está de mírame y no me toques.

O sea, en definitiva, mis papás tienen a dos enojados en la mesa del comedor todas las noches, y debe de ser muy pesado para ellos aguantarnos.

Cuando estamos de malas debe ser una pesadilla, porque por más que intentan hacer como que no pasa nada, les cuesta trabajo todo. ¿Y qué podemos hacer? Es como cuando no te gusta un partido y no puedes salirte del estadio porque quieres ver si se compone. Allí estás de malas, tristón o enojado, pero sigues esperando que pase algo bueno.

IV

*E*so de que los hijos no comprenden a los padres es falso de toda falsedad. ¿No? Los hijos sí comprendemos a los padres, pero no podemos hacer gran cosa por ellos, más que intentar cambiar la cara por una menos torcida, o el gesto por uno menos enojado, pero en el fondo no sirve de nada.

Mi hermana Susana tiene doce años y es muy buena gimnasta. De verdad, aunque por ser su hermano, puede que no me creas, pero sé ver sus virtudes y sus defectos. No la soporto cuando me gana la computadora porque se tarda años chateando y haciendo la tarea, pero de que es buena en la gimnasia lo prueban las medallas que ha ganado. Deberías mirarla en la barra de equilibrio: sus ruedas de carro y sus mortales son impecables, y además tiene un poder de concentración impresionante. Eso dice su entrenador.

Un día le pregunté a Susana si no le daba miedo hacer todos esos giros en el aire antes de caer sobre los pies en una barra de madera, y me contestó que cuando se sube a ella sólo busca la salida, que sólo se concentra en salir bien. Es decir, no piensa: "Primero tengo que hacer un giro, una rueda de carro o un mortal". No. Se sube y todo es automático, para eso ha entrenado tanto. Perdón que te insista, pero hacer lo que ella hace en el aire es todo un reto, y ése ha sido su mundo por muchos años, desde que tenía seis. Así que entiendo muy bien que esté de malas, como yo, porque todavía no puede ir a un gimnasio. Y ella tampoco puede hacer nada por mis papás. Ahora sí que cada quien sus problemas: no basta con poner buena cara.

Yo le he copiado un poco la técnica a mi hermana, no te creas. Cuando estaba en el campo de futbol me concentraba en la pelota y sólo buscaba el gol. Y de verdad que funciona: ves en cámara lenta cómo va entrando la pelota en la portería, y una felicidad enorme, enorme te entra por las venas; es tan grande que no puedes evitar brincar, dar manotazos al aire y gritar de emoción.

V

AHORA no estoy jugando y eso me tiene franca-
mente desesperado. En el equipo de Morelia, yo
también llevaba el número diez en la camiseta
y mis compañeros me decían Ziné, por Zizou
obviamente.

—¿Está Ziné, señora?

—¿Quién? —dijo mi mamá la primera vez—.
¿A quién buscas?

—A Beto, señora, disculpe. ¿No sabía que le
decimos Ziné?

No. Mi mamá no sabía, por supuesto; pero
le bastó la información de Mario para echarme
un grito:

—¡Ziné! Te hablan por teléfono.

A partir de entonces, hasta en mi casa me dicen
Ziné, ¿cómo ves? Así que si quieres puedes lla-
marme así, es un apodo que me gusta.

Ahora no sé si volveré a llevar el número diez, que es raro para un delantero. Los delanteros llevamos más bien el nueve, el once, el siete, incluso hay quien ha tenido el cinco. Ni siquiera sé si seré seleccionado para el equipo de la nueva escuela. ¿Cómo no estar furioso?

Lo que me sucede es confuso, porque entiendo y no. No es que la culpa sea íntegramente de mis papás, pero quizá pudieron evitar que me sintiera así de mal. Corrijo: que mi hermana y yo nos sintiéramos así de mal. Nos hubieran preparado para este cambio, que es como si de pronto alguien te dijera: "Ahora debes vivir de noche" o "Todo lo que hacías de día, lo harás de noche". ¿Te imaginas desayunando a la una de la mañana? ¿Verdad que no sería natural?

Pues esto es un cambio más o menos así de loco: que nos mudáramos a la Ciudad de México era quizá inevitable, pero si nos hubieran dicho con más tiempo, como para hacernos a la idea, a lo mejor no nos hubiera pesado tanto. Vivir aquí no es fácil. Todo parece medio agresivo: mucha gente, muchos coches. Me fastidia tanto esta ciudad, es como si tuviera que jalar un costal de clavos a donde quiera que vaya. Mi papá dice que me voy a acostumbrar, pero no sé hasta cuándo.

Mudarse es un caos, un desbarajuste, una desorganización; algo que cambia tu mundo de lugar y que da ansiedad y desconfianza porque empiezas una vida que no conoces, te mueves en un lugar que no conoces y, a cambio, dejas atrás muchas cosas que son importantes, como tú, por supuesto. Pero también:

- la escuela y los amigos,
- el barrio,
- el paisaje,
- el estadio de futbol,
- la disco y el cine.

¿No es verdad que del cine conoces hasta en dónde está roto el tapiz de las butacas?

En cambio, aquí no me han dejado ir solo al cine ni una vez, como si fuera un bebé, un niño de brazos.

"No vaya a ser que te pase algo", me dicen.

Por lo pronto, antes de decirte qué me pasó hoy en la escuela, voy a empezar por contarte lo que más me preocupa; no es una forma de disculparme, sino una manera de confesarte la verdad, por más infantil que pueda parecerte a mis catorce años. A lo mejor pensarás: "Este cuate sí es como un niño de brazos". Me lleva la que me trajo, como dice mi papá.

¿Sabes qué me pasó?

No me dejaron ir a despedirme de ti.

Quizá también por esa razón estoy furibundo con mis papás. Te estuve llame, llame y llame, pero tu teléfono estaba descolgado o descompuesto; y como era tarde, mi papá no me dejó salir, y mi mamá me dijo que no eran horas de ir a ver a nadie y menos a una "niña".

Le dije que no eres una niña, que ya tienes trece años, pero ni así me dejó. Por eso no pude despedirme, ni decirte nada, ni siquiera pedirte tu correo electrónico. Si tuviera tu correo...

Y lo peor es que tu teléfono sigue descompuesto. No creo que esté descolgado. A lo mejor lo cambiaron por otra línea porque no es posible tener un teléfono fuera de servicio durante tanto tiempo aunque cada miembro de la familia cuente con un celular.

Yo de celulares sé mucho porque mi papá se dedica a venderlos en toda América Latina. Es un ejecutivo de ventas y se la pasa viajando, por eso no vemos el objeto de mudarnos, si de todas maneras no está en casa la mayor parte del tiempo.

¿Ahora entiendes lo que me sucede? Qué mala onda que no me pude despedir de ti porque podrías pensar que no me interesas, cuando en realidad pienso en ti todo el día y parte de la noche. A veces hasta sueño contigo.

Ya le pedí a Mario que consiga tu correo electrónico porque tu teléfono, por lo que veo, no tiene para cuándo funcionar. Nadie contesta. ¿O es que también te cambiaste de casa como yo? No lo quiero ni imaginar.

Si te mudaste, quizá también te inscribieron en otra escuela y dar contigo sería dificilísimo o imposible y me dolería toda la vida haberte perdido así, por una necedad de mis padres que piensan que sigo siendo un niño.

Mario me prometió, si fuera necesario, ir a tu casa aunque no lo conozcas. Es mi mejor amigo desde la primaria; desde tercero, para ser exactos. Yo le soplaba las tablas de multiplicar porque siempre he sido muy bueno para los números, y él me dejaba ver todo lo de Español. Es muy bueno escribiendo, me enseñó pequeños trucos que me han ayudado mucho a mejorar mi ortografía. Me mostró, por ejemplo, cuándo ponerle acento a *él*.

Claro que tú lo debes de saber muy bien, pero yo, que soy un distraído de primera, no entendía por qué *él* a veces se acentúa hasta que Mario me dijo que *él* con acento es un pronombre que acompaña al verbo: *él* tiene un zapato y el zapato es café. Me quedó claro que si *él* es pronombre, se acentúa.

Pero vuelvo a mi enojo: no haberme despedido de ti me puso de muy mal humor o, mejor dicho, me entristeció, como un perro que se pasa la noche ladrándole a la luna. No sé por qué, pero siempre me han parecido tristes los perros que ladran en la noche, como que no pueden dormir bien por estar cuidando o llamando a alguien o ahuyentando sombras. No sé si por eso dicen "Tiene vida de perro"; pero en parte debe ser por eso y porque los tratan mal y les dan de comer poco. Nosotros teníamos un perro pastor alemán que se llamaba Otto. Lo adorábamos. Dormía en mi cuarto. Murió de viejo, sufrimos mucho y mis papás ya no quisieron tener otra mascota. Qué bueno porque ahora no podría estar en el departamento. ¿Te imaginas a un pastor alemán en un lugar donde no hay jardín ni patio ni terraza ni nada? No, sería imposible.

Así que te pido de todo corazón que si dijiste algo así como "Ziné se fue sin despedirse, sin decirme adiós, porque no le importó", te des cuenta de lo que en realidad pasó.

A veces los papás son así, no oyen. Por suerte, no siempre actúan de esa manera. Cuando le expliqué a mi mamá lo que me pasaba, me dijo que cuando fuéramos a Morelia me iba a llevar en el coche a buscarte. Pero ¿qué pasaría si ya no vivieras tú tampoco allá? No quiero ni pensarlo. A lo mejor ya cambiaron a tu papá de lugar o regresaron a España. Nunca se lo perdonaría a mis padres, ¡en serio! Es como cuando te hacen una falta y el árbitro no la marca.

VI

Hay otras cosas que también me fastidian, otras cosas que me ponen de malas. Por ejemplo: cómo no voy a estar molesto si cuando caminas a la escuela por la calle donde siempre has vivido, sabes que doña Chepina dejará de barrer la banqueta para que pases; que don Julián, el panadero, te dará los buenos días; que en el estanquillo de la esquina alguien estará comprando la leche para el desayuno; que verás en el puesto de periódicos si ya llegaron el *Récord,* el *Ovaciones* o el *Esto,* para leer los encabezados, que son muy divertidos ("Buffon amenaza con irse", "Beckham se queda o se va"); que el cartero cruzará por la esquina con su bolsa llena de cartas y que dos cuadras adelante encontrarás a Mario, tu mejor amigo, con quien terminarás el recorrido hablando del partido de ayer, en el que Chivas resultó campeón de la liga nacional, o de la página de internet que acabas de descubrir, en la que se enumeran las faltas más dudosas en la historia del futbol, como ésta:

> En 1990, en la final del Mundial de Italia, Edgardo Codesal marcó un pénalti contra los argentinos a favor de Alemania. Con ese gol Alemania fue campeón, pero más de la mitad del mundo creyó que era un pénalti dudoso.

Esto no tiene remedio, pero sabes que si caminaras por la calle que conoces, le dirías a tu mejor amigo que chateaste con un experto en el Barça que sabe hasta cuántos trámites tuvo que hacer Ronaldinho para obtener la nacionalidad española, o le hablarías de ti, confiándole lo que sientes por una chica: "Cuando sonríe se le hace un hoyito en la mejilla y sus ojos brillan de alegría".

En cambio, aquí no camino a la secundaria porque no se puede, ni platico con nadie de nada, mucho menos de fut. Mi escuela está bastante lejos, lo suficiente para que mis papás me den unos pesos para el transporte público. Voy en un autobús más repleto que una lata de sardinas. Como en las caricaturas, la gente se desborda por las puertas y cuesta trabajo tanto subir como bajar.

Con decirte que una mañana me quitaron la gorra azul de los Yankees de Nueva York, y no pude hacer nada más que ver cómo se la colocaba un tipo gordo y cabezón, porque le quedaba chica al muy estúpido. Ése fue mi consuelo, ver al tipo batallando para ponérsela. Sin embargo, un señor que se dio cuenta de que ese ladrón me había quitado la gorra, se la arrebató y lo empujó por la puerta diciéndole: "A robar a tu casa, hijo de la pelona".

No dijo exactamente *hijo de la pelona,* pero no te puedo decir qué le dijo porque eran unas palabras muy fuertes, tanto que todos los pasajeros se volvieron a mirarlo, y luego me aventó la gorra desde donde estaba: "Ahí va. Estos tales por cuales, manilargos, hijos de su tal por cual, creen que pueden hacer lo que se les da la gana, pero se equivocan".

Como pude la caché. Con decirte que los pasajeros le aplaudieron; pero mi papá dice que lo que ese hombre hizo es muy peligroso, que debemos tener cuidado con los rateros. En Morelia nunca tuve esa sensación de miedo, te lo confieso a ti y a nadie más.

Yo estaba entre asustado y enojado. No sabría decirte exactamente cómo. Sentí horrible que en mis narices me quitaran la gorra y que no pudiera hacer nada. Fue una mezcla de vergüenza, ofensa, humillación y miedo. No sé decirte cómo, pero

31

hasta me dieron ganas de llorar, pero ni modo, tengo que aprender a cuidarme.

Se necesita valor para transportarte en autobús. Y no es que no lo tenga, pero llego a la escuela cansado de hacer equilibrio todo el tiempo y de cuidar mi mochila y mi iPod. ¿Por qué tengo que ir a la escuela en autobús, cuando antes era tan agradable caminar? Y lo peor es que sé que no encontraré a Mario en el camino. Sólo él sabe que me gustas. A nadie más hubiera podido confiarle un secreto así de íntimo, de personal.

Mario tiene novia desde que estábamos en tercero de primaria, fue un niño precoz. Ahora que tiene catorce años como yo y una novia de verdad podemos platicar mejor que antes, porque la novia de tercero era más bien imaginaria, creo. Quizá por eso, porque anda con una chava, comprende muy bien lo que siento por ti sin que yo le explique demasiado.

A veces él hace la tarea en casa de Margarita, su chica. Mario prefiere llamarla Margarita y no Mago como todo mundo le dice. Es nuestra compañera de salón. Bueno, era mi compañera.

Me gustaría salir contigo, ser tu novio y hacer la tarea en tu casa como Mario en casa de Margarita, si es que pudiera concentrarme, y luego ir al cine y darte la mano.

He soñado dos veces que vamos al cine y vemos la película tomados de la mano. ¿Te gustaría ser mi novia? Iríamos al cine, a la tienda de discos, al futbol y a todo lo que pudiéramos ir juntos.

Te confieso que me daría un poco de miedo ir de la mano contigo y no saber qué platicarte. Mario dice que Margarita no sólo no sabe nada de futbol, sino que no le interesa. A mi mamá, por ejemplo, ya te dije que no le gusta mucho; en cambio a Susana sí. Si estamos viendo un partido, no me pide cambiar de canal ni se va a su cuarto. Ve el partido. Les va a las Chivas del Guadalajara, y yo al Cruz Azul, sobre todo después de que llegó Gerardo Torrado, "El Borrego", aunque sé que debería irle al Morelia Monarcas como mi papá. Y no es por llevarle la contraria, en serio, simplemente juega mejor el Cruz Azul.

He visto a muchos novios que van por la calle con su iPod cada quien en su música y como que no les interesa platicar. A mí sí me gustaría platicar contigo de todo un poco. Quizá porque soy muy comunicativo, como dice mi papá, o porque en la casa nos platicamos casi todo; no todo, claro. No les he dicho que me gustas, por ejemplo. Es que hay cosas que uno se guarda, ¿no es cierto?

Mi papá dice que ahora muchos chavos ya no saben platicar, que no lo aprendieron de sus papás, pero yo creo que a veces uno no sabe qué decir, por dónde comenzar, como he tratado de explicarte.

La realidad es que no podemos caminar de la mano ni ir al cine porque no estamos cerca, porque nos separan varias horas de distancia, y no puedo llevarte a ningún lado; ni siquiera tengo tu número de teléfono, mucho menos tu correo electrónico. ¡Qué cosa! Es como si injustamente te sacaran la tarjeta roja comenzando un partido.

VII

HE SOÑADO que me escapo de la casa, tomo de noche un autobús a Morelia y voy a buscarte; pero para eso tendría que robarle un poco de dinero a mi papá y no podría hacerlo, soy incapaz. Así que en lugar de soñar que te veo, que te propongo que seas mi novia, que me dices que sí y que regreso a México sin que mis papás se den cuenta, tengo que esperar hasta que suceda algún milagro y viajemos todos juntos a Morelia.

Ese milagro puede ser el cumpleaños de la abuela, que es el mes próximo. Cruzo los dedos para que mi mamá decida que el mejor regalo de cumpleaños para la abuela sería que fuéramos a visitarla. Yo he ayudado un poco diciendo: "¿No crees que a la abuela le gustaría vernos el día de su cumpleaños?"

Es como desear que el portero del equipo contrario no pare la pelota en un pénalti. Es algo que deseas con todas tus ganas.

VIII

CREO que hasta ahora no te he contado nada interesante, tal vez he abusado hablándote de cosas que no te interesan, como Zizou y el futbol. Deben de importarte un serenado comino. Así dice mi mamá: "Lo que diga el pronóstico del tiempo me importa un serenado comino, siempre se equivoca".

¿De qué le hablas a una chava como tú para que te conozca, para que sepa cómo eres a ver si se interesa por ti como tú por ella?

Me gustaría que conocieras la trayectoria de Zizou, así verías por qué es mi ídolo. En realidad tengo dos ídolos, el otro es el guitarrista Jimi Hendrix, de quien te hablaré más adelante, si te parece bien, pero para que te des una idea, te puedo adelantar lo que dice la página de internet www.guitarraonline.com.ar/guitar.htm:

No existe guitarrista eléctrico sobre la tierra que no haya sido influenciado por él. Simplemente el mejor.

Te doy la página para que veas que puedo ser objetivo, como cuando te digo que mi hermana es buena gimnasta porque lo dicen sus medallas, no porque lo afirme yo.

Siempre me ha gustado la guitarra, desde niño. Mi sueño es tener una eléctrica. Voy a tomar clases en serio, y si hago amigos en la nueva escuela formaré un grupo de rock.

¿Te gusta el rock? ¿Quiénes son tus grupos favoritos? Por el momento, los míos son U2 y RBD. Tengo toda la música de U2, y mi canción preferida es "Out of control". The Edge, su guitarrista, me parece buenísimo. En php.terra.com hay una galería de fotos suyas, por si no los conoces, aunque es imposible no haberlos escuchado, ¿verdad? El álbum *Celestial* de RBD es algo que no te debes perder. Además, la canción "Nuestro amor" me parece de lo mejor. Óyela y si puedes, piensa en mí.

Si vivieras acá o si pudiera verte, te regalaría el disco *Rebelde*. Esta palabra, *rebelde,* fue la más buscada en Google debido a que el grupo es nuestro, es latino y expresa lo que sentimos. ¿Lo conoces? También tienen su página: www.grupo-rbd.com, te la recomiendo. El grupo inició este año rompiendo todos los récords de ventas. También me gustan estos grupos:

- Panic at the Disco,
- los Strokes,
- los Killers,
- Panda,
- Klaxons.

Tengo casi toda su música porque mi prima Isabel, la que usó braquets, me regaló sus discos en mi cumpleaños; es medio nerd, pero le encanta la música. También me gustan varios solistas, como Alejandro Sanz y Shakira.

Escucho mi música favorita mientras hago la tarea. Mi mamá me pregunta cómo puedo concentrarme, pero es igual que mi hermana en la barra de equilibrio con toda la gente viéndola, o que cuando estoy en el campo de fut: de pronto haces a un lado algunas cosas y te enfocas en el problema de matemáticas, aunque la música esté allí, acompañándote.

A veces compongo mis propias canciones; y no sabes cuánto me gustaría oírlas acompañadas, además de la guitarra, por la batería y un bajo o un saxofón.

Toco de oído la guitarra, pero ahora sí, como te digo, tomaré clases en serio. Entre otras cosas, las clases me ayudarían a recordar la música porque a la letra le hago anotaciones medio locas para acordarme de la melodía.

Cuando estaba en Morelia, Mario me acompañaba con la batería. Nos pasábamos horas ensayando en un cuarto aislado en el patio de su casa. Una vez, en el cumpleaños de su mamá, nos invitaron a tocar y le pedí a Susana que cantara con nosotros. Nos salió padre la función, y hasta la abuelita de Mario nos felicitó; su familia no se asusta por el "ruido", a diferencia de la mía.

Que yo toque la guitarra encerrado en mi cuarto está bien, pero que lo haga en la sala es imposible. Y te voy a decir una cosa: quizá sea mejor para mí que para ellos porque me distraigo con gente alrededor. Cuando estás componiendo una canción, repites y repites lo mismo hasta que te sale lo que estás buscando, y hacerlo en la presencia de alguien te distrae. Sería como darte mi primer beso, que me muero por dártelo, delante de mis papás y de mi hermana. Nunca he besado a nadie y no me atrevería delante de ellos. Hay cosas que se logran más en la intimidad, en la soledad, ¿no crees?

Me da un poco de vergüenza, no quiero hacer el ridículo, pero compuse esta canción pensando en ti, a ver qué te parece. Nada más que tenga tu correo electrónico te mando la música para que la puedas oír. No es más que la guitarra, pero suena bien, creo.

En esta ciudad

Camino por una ciudad nueva
y sé que no te veré cuando llueva;
sin embargo, iré pensando en ti.
Y te llamo tan intensamente
que sé que saldrás por un puente
y vendrás hacia mí.
Ésta es mi nueva ciudad,
y en este lugar estarás;
cada vez que piense en ti, vendrás,
y tomados de la mano
caminaremos juntos.
Volveremos a vernos, lo sé,
y de la mano pasearemos, lo sé.
Ésta no es la ciudad de mis sueños,
pero a ella vendrás,
y con tu presencia
la ciudad ya no será igual.

Así, sin música, tal vez te parezca un poco simple, no sé. Pero con la guitarra suena bien. La toqué para Susana y me dijo que tenía muy buen ritmo, que a ella le gustaría ser vocalista de mi grupo, si llego a formarlo, para poder cantarla, porque se identifica con ella. Quién quita y le guste alguien de Morelia. A su edad, yo ya me había enamorado de mi profesora de Matemáticas, que era bonita e inteligente.

Susana es entonada y cantaba en el coro de su escuela. Ahora no me he atrevido a preguntarle si entrará al nuevo coro, para no ponerla más de malas. Esperemos que sí.

Te digo que eso de mudarse es difícil para todos. Es como si te cambiaran las reglas del juego a la mitad de un partido.

IX

Y AHORA que lo pienso, tú debiste de pasar por esto que te estoy contando, lo que significa que me entenderás mejor. Al menos a mí me separan de Morelia unas cuantas horas, pero a ti te separa de España todo un océano, un viaje largo y costoso. ¿Verdad?

Ya viéndolo bien, quizá para ti haya sido más difícil que para mí. Dime cómo le has hecho para acostumbrarte a todo lo nuevo.

Para mi papá todo se cura menos la colitis. Es su forma de calmarnos. Sé que todo pasa, y que tal vez un día se me hará normal vivir aquí, pero por lo pronto no me acostumbro.

A veces, cuando me siento solo, toco la guitarra o escucho mi música preferida. No sé por qué, pero de tiempo en tiempo me siento completamente solo, como lejos de todos, como aislado de los demás, aunque en realidad no lo estoy; quiero decir, a pesar de que no estás cerca, tengo una familia y aunque mis amigos están lejos, me mantengo en contacto con ellos; y soy un chavo normal, tranquilo, deportista, y hasta "raro" porque me gustan las matemáticas, porque me entretengo con ellas. ¿Seré un bicho? ¿Seré un estúpido nerd?

Las matemáticas son padres, las descubrí en cuarto de primaria; todo es cuestión de entender que los números tienen sus reglas. Es como resolver crucigramas, sólo es un asunto de pensar y jugar.

Una tarde que llovía a cántaros, el profesor de primero de secundaria nos castigó hasta las nueve de la noche. Y luego puso un problema en el pizarrón.

—Si alguien lo resuelve, los dejo salir —dijo, seguro de que nos íbamos a quedar hasta tarde.

—¡Órale, Morales! —insistieron mis compañeros en cuanto desapareció el profesor. Me puse a trabajar y terminé en veinte minutos. Fueron por el profesor para que supiera que ya habíamos resuelto el problema. Nada más te cuento que me sacaron en hombros como si fuera torero.

—¡Eres muy fregón, Morales! No te vayas a echar a perder —me dijo el profesor, y abrió la puerta para que saliéramos.

No entendí qué quiso decir con eso de que no

me fuera a echar a perder. Mi papá opinó que tal vez se refería a que no me fuera a volver una persona presumida o pedante.

No creas que resolver el problema fue sencillo, tuve que pensar mucho hasta que lo entendí. Ya después, sólo hice las operaciones. En eso me ayudó Mario con la calculadora. Te juro que hasta nos divertimos. Mientras hacíamos números y fórmulas, nuestros compañeros nos echaban porras y toda la cosa.

Las matemáticas me fascinan. No sé por qué, pero siento como que tienen algo que ver con la música. Hay algo en las matemáticas que me atrae, como si hablara otro idioma o entendiera otro lenguaje.

Es como si adivinaras el pensamiento de un compañero en el campo de fut, y le pusieras la pelota donde la quiere.

X

Extraño un buen a Mario. Ya sé que no se dice *un buen,* pero ni modo que te diga otra palabra que no debo usar, sería peor.

Mi mamá siempre me dice que hable bien, que no se dice *un buen* sino *mucho,* y no le gusta que diga *güey.* Siempre está corrigiéndonos a mi hermana y a mí; que no se dice *en la múter* sino *en la torre,* ni *chido* ni *padre* sino *sensacional, bonito* o *maravilloso.*

Tiene razón, pero esas palabras las usamos poco, ¿no? Yo no le digo a Mario cosas como: "La película está sensacional". La verdad, yo le diría: "La película estuvo chidísima, ¿no? ¡Buenísima!".

Claro que así no puedo hablarte; y además como tú vienes de España no me entenderías, pero quizá ya habrás aprendido cómo hablamos los chavos mexicanos, ¿verdad?

De todas maneras quiero que sepas que estoy haciendo un esfuerzo para escribir lo mejor que puedo, como cuando dejé los refrescos, el pan con mermelada y la tele hasta tarde, y que he borrado un montón de palabras y expresiones por miedo a que no las entiendas.

Ahora sí, como diría mi papá, ¡me he comido mis propias palabras!

Pero en realidad te estaba hablando de la soledad, de la distancia y todo eso.

No creo que vaya a perder la amistad de Mario, porque siempre estamos chateando y si vamos al cumpleaños de mi abuelita Matilde lo voy a ver todos los días.

Yo creo que uno se siente solo aun estando con otros. ¿No te pasa a ti algo así?

En este momento me siento solo y enojado, además estoy frustrado porque no tengo otra manera de comunicarme contigo más que ésta. Es como si te hubieran dejado en la banca todo el partido.

Y déjame contar hasta diez para poder continuar.

XI

Conté hasta diez y pensé en las ruletas de Zizou: daba la vuelta con la pelota, parado en el mismo lugar, y nadie se la quitaba. ¡Increíble! Era un jugador elegante. No sé cómo explicarte: era limpio, claro en sus movimientos y, como es alto, todo lo que hacía llamaba la atención.

Si tienes unos minutos, te recomiendo que veas esta página en la que comparan el trabajo de Ronaldinho con el de Zidane. Queda claro que Zidane era el mejor y que quizá Ronaldinho llegue a ser como él. Hay un video padrísimo, te va a fascinar: http://www.estudiantes.info/videos-google/los-mejores-goles-de-ronaldinho.htm. También te recomiendo esta página no oficial de Zinédine: http://www.publispain.com/zidane/biografia.htm, que trae de todo sobre él, hasta el nombre de sus hijos. ¿Sabías que a uno le puso el nombre de su jugador favorito? Un uruguayo llamado Enzo Francescoli.

¿Te imaginabas que Zizou es embajador? De veras, es embajador de la ONU en la lucha contra el hambre. Lo admiro más porque aprovecha su triunfo para ayudar, porque va por la gente que necesita auxilio. Todo eso y más está en esa página, ya lo verás.

Zidane me parece un jugador único, el mejor. Es cierto que cometió una falta cuando le dio el cabezazo a Materazzi, pero quizá estaba de por medio el honor de su familia. Creo que si esa falta la hubiera hecho cualquier otro, habría sido distinto. El triunfo de su carrera estaba en evitar ese cabezazo, y al darlo, echó todo por la ventana. ¡Qué difícil situación! ¿No te parece?

Lo único que había hecho toda su vida era prepararse para ser campeón, para ganar las copas del mundo, y prefirió perder todo por el honor. Como en la literatura que leemos en la escuela, ¿a poco no? Bueno, tú de eso debes de saber mejor que yo.

Tomar una decisión así no es cualquier cosa. Y no te comento lo que pienso de Materazzi porque tendría que escribirte una palabra que no le gusta a mi mamá.

Yo creo que algo parecido les ha de haber pasado a nuestros papás, ¿no crees? Me refiero a eso de tener que tomar la decisión de cambiarse de lugar con todo y la familia. No es fácil, y menos para los que estamos metidos en el asunto. Yo no sé qué hubiera hecho en su lugar.

Pero disculpa la vueltotota que he dado: te estaba hablando de la soledad.

En ocasiones me dan ganas de estar solo como cuando estamos todos en la casa y prefiero irme a mi cuarto a oír música, a leer o a hacer las dos cosas, porque es padre leer escuchando tu música favorita.

A veces, cuando mi mamá está viendo las noticias en la tele, me siento con ella, pero no aguanto mucho. Los noticieros no me interesan, siempre es lo mismo; prefiero el final, cuando hablan de deportes, aunque ya casi todo lo sé porque lo consulto en internet. Pero volver a ver un gol es algo que te da emoción, sobre todo si es de tu equipo.

A veces me siento como si estuviera en un estadio de futbol y fuera el único espectador que no entiende lo que pasa en la cancha.

XII

¿Qué películas te gustan? A mí me gustan las de aventuras y misterio. Me encantó *El tigre y el dragón* de Ang Lee; se me hizo muy divertido eso de las artes marciales y los efectos especiales. Pura magia, hasta me dieron ganas de volar.

¿Te gusta leer? Yo ahora estoy leyendo *El Corsario Negro* de Emilio Salgari. He de confesarte que mi papá me regaló esta novela y que por esa razón me daba flojera abrirla. Me insistía mucho en que la leyera, diciéndome que era uno de sus libros favoritos. Creí que era una historia anticuada, de un autor pasado de moda, y me daba flojera. Hasta que un día que no tenía nada que hacer tomé el libro de mi mesa.

La verdad, es uno de esos libros que no puedes soltar, pero lo que más me gusta es que se ha convertido en un tema de conversación entre mi papá y yo.

—Emilio de Roccabruna quería vengarse, por eso se convirtió en el Corsario Negro, ¿verdad?

—Como Sandokán o el Conde de Montecristo…

—¿Por qué se enamora el Corsario Negro de la hija de su enemigo?

—Porque eso hace más emocionante el relato. Y a veces la vida es así, como en *Romeo y Julieta*.

Platicamos cosas por el estilo o me cuenta aspectos de la vida de Salgari, como algo muy triste: que en su tiempo vendía muchos libros, pero cuando murió no tenía ni para su entierro, así que dejó una carta a sus editores pidiéndoles que lo pagaran porque ellos se habían enriquecido a su costa.

¿Has leído a Salgari? Ahora quisiera leer *Sandokán*. Cuando termine me voy a comprar esa novela, y después todo lo demás que escribió sobre piratas. Dice mi papá que son varios volúmenes.

¿Sabes? Un día, cuando sea grande, voy a hacer el recorrido de las ciudades amuralladas del Caribe que fueron atacadas por los corsarios, como Veracruz, Campeche, La Habana y Cartagena. Me gustaría verlas y comprobar que de verdad existieron los piratas.

Saqué de la biblioteca un libro; no te imaginas qué interesante está, porque dice cuánto ganaban, en qué gastaban el dinero, cómo se vestían, cuáles eran sus embarcaciones, quiénes eran los piratas más famosos (como "Lorencillo" o "Pie de Palo") y de dónde eran. Si te da curiosidad, un día, cuando estemos más cerca, lo pido para enseñártelo, se llama *Piraterías en Campeche*.

¿De qué hablas tú con tu papá? Yo, cuando menos, me entretengo y aprendo sobre piratas. Además, en lugar de hacerme rollitos en el pelo con el índice, de tamborilear los dedos de la mano izquierda sobre la mesa cuando estamos cenando, de pensar en cualquier cosa menos en lo que pasa en la cena o de contestar a las preguntas de mis papás con un *sí, no, ajá, no sé, bien,* platico con mi papá cosas como las que te he contado.

Si tu papá o tu mamá han leído un libro y tú lo lees después, hay cosas que pueden discutir, ¿no crees? Y te preguntarán algo más que "¿Cómo te fue en la escuela?", pregunta que de todas maneras no puedo contestar con la verdad porque no me va bien, pero no digo nada porque preocuparía inútilmente a mis papás. Aunque si sigue pasando lo mismo, voy a tener que hablar con ellos.

No quiero inquietarlos porque ya tengo catorce años, no soy un niño. Zizou, por ejemplo, se fue de su casa a mi edad y llegó a ser el mejor futbolista del mundo. A los catorce años comenzó a vivir en casa de un directivo del Cannes y a los dieciséis se incorporó al equipo. ¿No te parece increíble? Aquel chavo con el anhelo de triunfar fue comprado en 75 millones de euros en 2001 por el Real Madrid.

Que alguien se proponga lograr un sueño y que un buen día su pasión se convierta en realidad me parece increíble.

Y a propósito del Real Madrid, ¿no será éste tu equipo favorito? En ese caso, conocerás, quizá mejor que yo, a Zizou y hasta lo habrás visto jugar en el Estadio Santiago Bernabéu. ¿Será? ¿Me dirías qué se siente verlo en persona?

Sé que no debería quejarme porque, después de todo, yo no me fui de mi casa, sino que hice el viaje con mis papás y vivo con ellos, que tratan de darnos lo mejor para que mi hermana y yo salgamos adelante; pero no es algo que esté en mí evitar; quiero decir, no puedo dejar de sentir lo que siento.

Tal vez Zizou se las vio negras los primeros años en casa de su entrenador, que ni siquiera era su familiar y que debe de haber tenido otras costumbres, pues ya ves que Zidane practica la religión musulmana.

Discúlpame si te aburro, pero creo que si sabes qué me gusta, qué me pasa y qué siento, me conocerás mejor. ¿No crees?

Zizou, que se fue de su casa a triunfar a los catorce años, y Jimi Hendrix, que jamás estudió música porque era autodidacta, son mis ídolos.

Y como ves, le sigo dando vueltas al asunto, como diría mi papá. Todavía no sé cómo hablarte o qué contarte para que te intereses en mí.

Cuando menos, ya te dije que detesto vivir en esta ciudad, que te extraño y que estoy triste porque no pude despedirme de ti. También te he contado de mi música, de mi gusto por el deporte y de mis aficiones.

A veces me pregunto qué te gustará, qué piensas de mi ciudad; con todo y que es bonita, tal vez no te guste porque extrañas la tuya. Me encantaría saber si practicas algún deporte, si tomas clases de baile, de música, si te gusta leer o ir al cine.

Yo me he fijado en las cosas que les gustan a Susana y a sus amigas para imaginar si tú las disfrutarías. Su deporte es el tenis, por ejemplo. No se pierden un partido de las hermanas Williams. ¿Las has visto jugar? Susana no practica el tenis, pero le encanta.

A mí el tenis me parece un deporte de mucha cabeza, de mucha maña, para saber adónde mandar la pelota.

A Susi y a sus amigas también les fascina andar en bicicleta y coleccionar revistas de actores y cantantes; les encanta Gael García. Mi hermana tiene su cuarto lleno de pósters de él y de Diego Luna.

En cuanto a la música que oyen, Susi es súper fan de Belinda, la de *Amigos por siempre*, también le gustan Julieta Venegas y RBD. Si supiera qué haces, qué deporte practicas, qué música te entusiasma, qué películas ves, de eso te hablaría o trataría de conocerlo para entenderte, ¡de verdad!

También me gusta la soledad porque pienso en ti, invento cómo eres, me imagino tu mundo y pienso qué te voy a decir cuando nos veamos. Es como si estuviera en medio del campo de fut, yo solo dominando el balón, concentrado en mis movimientos, pensando en que eso me servirá para jugar mejor.

XIII

AHORA que lo pienso, no te dije que te extraño, pero todo eso que siento por no verte, aunque sea de lejos, todos los días, es porque te extraño.

Me hace falta saber que estás cerca y que puedo verte en cualquier momento o hablarte una tarde. Y no haber podido explicarte que me mudaba a la Ciudad de México me hace pensar que no voy a volver a verte.

Tienes que creerme: no fue culpa mía, no lo hice a propósito. Ya sé que estoy obsesionado con eso, pero no puedo quitármelo de la mente.

¿Sabes cómo te vi la primera vez? Caminabas a la farmacia con tu mamá. Iban de la mano. Mi papá dijo:

—Mira, Beto, qué señora tan distinguida.

Y yo contesté:

—¡Y qué bonita es su hija! ¿No?

—Entremos a la farmacia para que la saludes —me empujó.

—¿Cómo la voy a saludar si no la conozco? —me detuve.

—Le dices "Hola, cómo estás", y se acabó.

—¿Cómo crees? —me asusté porque creí que mi papá me iba a obligar a saludarte, luego se le mete cada idea en la cabeza…

No me atreví, y por supuesto no entramos a la farmacia.

En la casa, mi papá le platicó a mi mamá:

—Cuando fuimos por el periódico, Ziné vio a una chica muy guapa, ¿verdad, Ziné? —y guiñó un ojo.

No me hizo gracia. ¿Por qué le tiene que contar todo a mi mamá? Algunas cosas son nada más entre los dos, ¿no te parece? Entonces me desquité:

—Mejor cuéntale que yo no me hubiera fijado en la chava si tú no descubres a su mamá. Dile qué dijiste, anda.

—Que era una señora muy distinguida, lo cual es cierto, ¿o no?

A decir verdad, tu mamá sí es una persona elegante. Así en jeans, como iba, se veía joven y bonita. Mi mamá también es una señora guapa.

Mi papá dice que se enamoró de los ojos negros de mi mamá. Son grandes y un poco jaladitos como los de la abuela y, al igual que los tuyos, son muy expresivos. Inmediatamente sabes si mi mamá está contenta, enojada o triste, o si está haciendo una travesura, como comerse un chocolate cuando acaba de decir que está a dieta.

Mi mamá es una buena persona; con mi hermana y conmigo es muy respetuosa y también cariñosa. Yo creo que es así de buena onda porque ella también tiene sus ocupaciones y no está nada más vigilándonos. Así que no se sorprendió porque mi papá haya hecho un comentario bonito sobre tu mamá. Al contrario, hizo una broma:

—Si él dice que era distinguida, lo es —dijo.

Yo le guiñé un ojo a mi mamá y allí quedó tu presentación familiar.

Cuando íbamos de regreso a la casa, después de verte la primera vez, mi papá me dijo que me pusiera abusado porque debías de vivir por allí cerca, ya que tu mamá y tú iban a pie a la farmacia.

—Nadie va a comprar unas medicinas a pie si no vive a unas cuadras.

Ni modo de decirle que te siguiéramos. Sólo me quedé pensando que si vivías por allí, tenía que encontrarte otra vez; y sí, dos semanas después te vi en el súper. Como mi papá, descubrí primero a tu mamá, y como yo iba con la mía le dije:

—Mira, ma, ésa es la señora que le gustó a mi papá.

—Y aquélla es su hija bonita, ¿no? —sonrió.

Venías hacia las cajas registradoras con un paquete de cereal en la mano. Te gusta el mismo que a mí. Eso ya era tener alguna información sobre ti. "¡Le gustan las rueditas de avena con pasas!", me fui diciendo hasta la casa.

Llevabas unos pantalones color café y una camiseta amarilla, y en lugar de la cola de caballo de la otra tarde, te habías dejado el pelo suelto que te llegaba a media espalda.

Dejaste el cereal y, no debes de acordarte, pero tu mamá te mandó por algo más, y volviste a desaparecer por el pasillo; y aunque me dieron ganas de seguirte, no pude porque a mi mamá se le había olvidado comprar una lata de piña en rebanadas y me mandó por ella.

Cuando nos formamos en la caja, mi mamá dijo:

—Ni la busques, la vi salir cuando fuiste por la piña, te tardaste mucho; además te viste lento porque era tu oportunidad para seguirla, por eso te mandé. Son españolas, porque cuando pagó alcancé a oír sus *gracias* con una *c* más cerrada que la puerta del garaje del vecino.

(Una puerta que nunca se abre y que está toda oxidada.)

¡Qué mala pata! Aquella tarde te marchaste por ahí sin que pudiera ver hacia qué rumbo, y como comprenderás me puse de mal humor porque mi mamá me mandó por la piña en el momento menos indicado.

La tercera vez que te vi fue cuando iba en la bici a mi clase de karate. Cruzabas la calle con unas amigas. Una morena, más alta que tú, y otra pelirroja. Traían unos libros en la mano, no sé si iban a hacer la tarea en casa de alguna de ustedes o iban a tomar una clase o si salían de la papelería o qué. Pasé delante de ustedes, pero no te volviste a mirarme. Sólo tu amiga, la pelirroja, me sonrió. ¿Cómo se llama?

La siguiente vez fue en el centro comercial La Plaza, cuando te saludé con la mano, de lejos, y me contestaste. ¿Lo recuerdas?

Esa noche no podía dormir de lo contento que me sentía porque me habías saludado. Recuerdo que cuando salí de La Plaza la tarde estaba clara, el cielo limpio, y hacía calor.

Yo iba con Mario, que se burló:

—De estas tardes hay pocas, ¿no?

Y la verdad, no le contesté nada. Ni modo de decirle que me parecía la mejor tarde del año. Me daban ganas de gritar de la emoción.

La siguiente vez, sí la debes de recordar. Nos encontramos de frente en la calle Zaragoza. Era lunes y hacía viento. Ibas al Instituto de Cultura y yo venía, para variar, del karate. Nos vimos de frente y te dije lo que me sugirió mi papá aquella vez que te descubrí:

—Hola, qué tal.

—Ya te he visto —contestaste.

—¿Cómo te llamas? —me animé.

—Paulina, ¿y tú?

Entonces te dije que vivía en el centro, como tú, porque estaba seguro, tenía razón mi papá, si andas a pie es que vives por allí.

La casa de mis papás era de la familia, es una de ésas muy antiguas con dos patios y arcos. Fue una casa que heredó mi papá y que le llevó tiempo restaurar porque estaba muy amolada. Cuando mi mamá la vio dijo que no quería vivir allí, que la casa estaba cayéndose. Pero la arreglaron, aunque con esfuerzo porque vivimos del trabajo de mis papás. Un año componían una cosa y otro, otra, y así. Imagínate, de vivir en una casota a cambiarme a un departamento...

Es como si el campo de futbol midiera la mitad de lo que indica el reglamento.

XIV

AHORA mientras te escribo estoy escuchando un disco de U2: *U218 Singles*. Está padrísimo. Lo compré con mis ahorros en Morelia.

Te cuento que fui a ver un trabajo cerca de donde vivimos. Es una colonia que está llena de restaurantes y cafeterías. Hay una cafetería como a tres cuadras de aquí y voy a servir café en las mesas, junto con rebanadas de pastel o sándwiches. Es café de máquina y se sirve en vasos encerados.

Me van a pagar poco porque sólo estaré tres horas por las tardes. Lo que salga es bueno, ¿no crees? Con ese dinero, y si consigo propinas, puedo comprar mis revistas de deportes o mis discos.

La tarde que me devolviste el saludo era viernes, para ser exacto fue el 16 de mayo. Ese día escribí en mi diario lo siguiente:

Se llama Paulina. Me habló.

Yo creo que así ha de haber sentido Zizou cuando jugaba en la Juventus y ganó su primera Copa Intercontinental en Japón, su primer reconocimiento individual, su primer premio, o cuando la FIFA lo nombró Mejor Jugador del Año.

XV

—P<small>AULINA</small>, se llama Paulina —le comenté a mi mamá—. Hoy nos saludamos. Vive en la colonia.

—¿En qué calle?

Entonces me enojé conmigo mismo por no habértelo preguntado.

—Pero Ziné, cómo voy a creer… Andas lento, hijo —me regañó.

Es que me aturdí. Pues sí, me vi lento y muy tonto. Pero no soy el único que tarda en conseguir lo que desea. No es disculpa, pero creo que a todo el mundo le pasa. ¿No te pasa a ti lo mismo?

Mi mamá, por ejemplo, también va como tortuga. Todavía no encuentra trabajo aunque le urge. Tuvo que dejar el suyo para venir con mi papá. Discutieron mucho si se quedaba en Morelia con nosotros, pero terminó el problema cuando ella argumentó que ni loca separaría a la familia. Yo, no es por nada, hubiera preferido quedarme con ella allá.

Como sabes, el de la chamba aquí es mi papá. Por mi papá estamos todos aquí. Y trabaja mucho más que en Morelia. Se va temprano y llega a cenar, o está de viaje. ¡Qué mal! ¿No es cierto? Nos trajo aquí y ni siquiera está con nosotros.

Estar sin trabajo debe de ser frustrante para mi mamá porque mi hermana y yo nos vamos a la escuela y se queda sola como la Mora, la perrita que tiene mi abuela, que se pone triste y ladra cuando no hay nadie. Sin embargo, mi mamá no se queja como mi hermana ni como yo.

Mi mamá ha de sentirse mal, porque su sueldo era un ingreso importante para la casa. Cuando habla con alguna amiga de Morelia sobre el tema, le contesta: "Es mejor tomar las cosas con filosofía".

Cuando yo era niño pensaba que *filosofía* era un condimento como la sal o la pimienta, y no entendía de qué hablaba mi mamá, que usa esa expresión para todo. Hasta que un día le pregunté:

—¿Cómo se toma la filosofía? ¿A qué sabe?, ¿salada?

—A cosquillas como éstas —contestó haciéndome reír, y luego me explicó que era una manera de decir *con calma*.

Mi mamá es química y trabajaba en unos laboratorios en Morelia de ocho a tres de la tarde, así tenía tiempo para mi hermana y para mí, para estar con nosotros y ayudarnos con las tareas o llevarnos a nuestras clases de inglés y de deportes, aunque yo ya me iba solo al karate y ella podía dedicarse más a mi hermana.

En realidad mi mamá está siempre dispuesta a todo, jamás nos hace cara de flojera cuando le pedimos que nos lleve a algún lado, por latoso que suene.

—¿Me llevas a comprar un disco a La Plaza porque aquí en la esquina no lo tienen?

—Vamos.

En cambio, la mamá de Mario no le hace el menor caso. Él incluso le pedía a mi mamá:

—Señora, ¿nos llevaría al cine?

—Claro que sí. ¿Ya vieron en el periódico a qué hora pasa la película?

Ahora que ya crecí no me gusta que mi mamá me acompañe a todos lados. Ya le dije que no soy un niño, que me puedo cuidar solo, pero no entiende más que a ratos.

Al principio, cuando llegamos a la ciudad, me llevaba de aquí para allá, pero ha dejado de hacerlo. Ya conozco mejor la colonia y me sé ir muy bien a la escuela. Además, mi papá me compró una guía y si tengo alguna duda, la consulto. Ya sé dónde venden libros, revistas, discos y películas; y si estoy un poco aburrido, pido permiso para ir a curiosear. Y voy.

Así que como ves, ninguna familia es perfecta. Mario siempre me decía de broma que quería una mamá como la mía, y yo le contestaba, en el mismo tono, que era toda suya, especialmente después de que me regañaba, porque para eso también es buena, como mi papá. Pero la verdad es que quiero mucho a mi mamá, sobre todo cuando se esconde a comer chocolates porque sé que lucha por no comerlos, pero le gana el antojo.

¿Sabes qué me contestó mi mamá cuando le dije que me ayudara a investigar dónde vivías? "Te lo averiguo mañana temprano en la gimnasia, no te preocupes."

Mi mamá hace ejercicio todos los días, dice que lo necesita, y yo creo que también quema las calorías de lo que come de más, como los chocolates. Además no entiendo cómo pueden gustarle si los prefiere amargos, ¡guácatelas!

Por la noche me contó que su amiga Rosa había conocido a tus papás en una cena. Que tu papá había venido a trabajar a la fábrica de suéteres que tiene capital español y que es el gerente de ventas. Ahora sé que te apellidas González.

—¿Dónde vive? —insistí.

—En la Avenida Cuauhtémoc. Mañana me dan la dirección exacta porque Rosa les va a preguntar a sus amigos.

Le di un beso largo a mi mamá; mi hermana,

que estaba oyendo la conversación desde la cocina, gritó:

—¿De qué hablan?

—De asuntos que no te interesan —le contestó mi mamá.

—¿Está enamorado Ziné, mamá? —volvió a gritar, y los tres nos reímos.

Así supe dónde vivías y que te apellidas González.

Es como cuando el entrenador te dice que vas a ser titular. Te quedas contento y tranquilo, pues es el primer paso para lo que sigue.

XVI

EL LUNES de la semana pasada me sucedió algo que no le he contado a nadie más que a mis papás y a Mario, y que por alguna razón que desconozco quiero decirte a ti. Pienso que me comprenderás, incluso que me darás un consejo. Tuve que pegarle a un compañero de la escuela.

"¡No manches!", se alarmó Mario. "¡Qué grueso!"

Pasé por una situación que jamás imaginé y que no he podido olvidar. Pensé mucho si les decía a mis papás porque ellos también tienen sus propios problemas.

Mi mamá, ya te dije, anda busque y busque trabajo, además de que está un poco de malas aunque diga que todo lo toma con filosofía. Aún no ha tenido suerte. La han entrevistado en tres laboratorios y no sabe si van a llamarla.

Mi papá está muy cansado porque cuando no está de viaje le muestran las sucursales que venden los teléfonos celulares que maneja su empresa. Digamos que mi papá tiene que meter a raya a todos sus clientes, que son muchísimos. Y en cada sucursal hay un problema, y con tantos, está con una gastritis horrible.

No quería inquietarlos, pero me acordé de que un día mi papá me pidió que le tuviera confianza, que cualquier cosa que quisiera contarle lo hiciera porque me iba a entender y me iba a ayudar. Me aseguró que podía hablarle de cualquier cosa.

También me acordé de que a Zizou lo expulsaron catorce veces, de las cuales sólo tres fueron por doble amarilla. Sus expulsiones se debieron, por ejemplo, a un codazo, un puñetazo, un pisotón o un golpe. A veces, como que no tienes más remedio que frenar al otro, ¿no es cierto?

A mí no me gustan las broncas. Ya te conté que soy más bien tranquilo. Además, en el karate aprendes que ése es sólo un medio para defenderte, no para atacar. Pero te juro que no me quedó más remedio que actuar.

Se lo tuve que decir a mi papá porque además pensé que me podían expulsar de la escuela. Tiene ventajas que tu papá no sea gruñón, se interese por tus cosas y trabaje en una compañía que vende teléfonos celulares, porque todos usamos uno muy bueno. El mío tiene cámara, y cuando me subo al autobús para ir a la escuela lo cuido como oro porque no quiero que me lo roben. Lo llevo por dentro de la ropa, en una funda que va en mi cinturón, y no ando jugando con él a la vista de todos, ni lo saco en la escuela. A veces hablo con Mario, pero las largas distancias son caras y soy yo quien compra las tarjetas, así que cuido mis llamadas, ni modo.

Creo que te he dicho que mi papá también sabe regañar, no creas que es un padre perfecto. Cuando me rompí el dedo gordo del pie por patear la pared, me puso como camote (así decimos aquí) y no me quedaron ganas de volver a hacer un berrinche tan tonto porque después de todo el perjudicado fui yo.

También es cierto que ya no soy un niño para decirles todo a mis papás, para quejarme con ellos como si fuera un bebé. El primer día que me tocó ir a la escuela en camión me asusté un poco, pero me aguanté. Tenía miedo de que se me pasara la parada, pero llegué bien.

Cada vez que me acuerdo de lo que me pasó en la nueva escuela, me palpita el corazón, y si no le hubiera contado a mi papá, estoy seguro de que habría corrido peligro. ¡No sabes qué susto!

Me acuerdo de Zizou, de que creció en el barrio de La Castellane, en Marsella, que no sólo era pobre, sino peligroso, complicado.

Él siempre decía que haber crecido en un lugar así lo hizo aprender muchas cosas rápidamente, y que cuando un entorno no es fácil necesitas cuidarte mejor, buscar una salida; empiezas a sentir deseos de superarte y de trabajar mucho para conseguir el éxito. Así que de verdad intento ver este cambio de ciudad como algo positivo, pero me está costando mucho trabajo.

Zidane no tuvo miedo, se arriesgó y jugaba como nadie. Por eso yo me arriesgué y le dije a mi papá lo que pasaba en la escuela.

Si hubiera una oficina de reclamaciones familiares, yo ya habría acudido con mi caso. ¿No sería mejor que nos hubiéramos quedado en Morelia, donde viven mis abuelos y mis tíos, donde la vida es fácil y uno puede caminar de aquí para allá sin ninguna inquietud, donde la escuela es un sitio tranquilo? Es como cuando el árbitro hace bien su trabajo y todo el partido es limpio.

XVII

Mira, por ejemplo, acá no puedo andar en bicicleta en la calle porque hay tal cantidad de coches y autobuses que corro el riesgo de ser atropellado; no puedo ir a buscar a Mario o a los del equipo de fut porque no viven aquí. Y, por supuesto, no puedo pasar por tu casa para ver si por casualidad sales o llegas en ese momento.

Siempre quería verte y al mismo tiempo tenía miedo de que me descubrieras.

"¿Qué haces por aquí?", me hubieras preguntado. Y yo habría dicho cualquier tontería como: "Pues pasaba por aquí… y…" o tal vez: "Es el camino para ir a casa de Mario", lo cual sería totalmente falso. Mario vive en el otro extremo del barrio.

Y me hubieras preguntado quién es Mario y te habría dicho que mi mejor amigo, así hubiera sido más fácil para él conseguirme tu correo electrónico.

Cuando espiaba tu casa para verte, me topé dos veces con tu papá y me asusté. No quería que fuera a pensar que yo andaba merodeando por ahí para robar o algo por el estilo. La segunda vez, cuando se me quedó mirando, lo saludé de lejos y siguió haciendo lo suyo: abrió la reja para meter el coche.

¿Te imaginabas que pasaba por tu casa para ver si tenía suerte y me sonreías aunque fuera de lejos? Pasar por tu casa me daba gusto y ansiedad. Sentía que te iba conociendo un poco más aunque no te viera. Aquí no tengo a quién ir a buscar por las tardes.

"Tienes que hacer nuevos amigos", dijo mi mamá, como si fuera sencillo.

Así que estoy obligado a quedarme en casa encerrado hasta que suceda algo que me saque de aquí o hasta que empiece a trabajar, lo que sucederá en dos semanas. Necesito encontrar una actividad para las tardes, y no he podido averiguar si hay clases de karate cerca, una escuela de música o un profesor de guitarra. Ni modo de instalarme toda la tarde en la librería y en la tienda de discos.

Me hubiera encantado conocer en persona a Zizou, o a alguien que jugara en la selección nacional. Siempre estaría cerca de él y, en un descuido, hubiera podido hacerme su amigo, ¿no crees?

Torrado me cae bien, ¿lo has visto jugar? Antes se pelaba a rape y ahora trae una melena medio china. Tiene su toque personal. Torrado debutó con los Pumas de la UNAM en 1997 y en 2000 se fue a España, obtuvo la nacionalidad española y jugó en el Tenerife, el Polideportivo Ejido, el Sevilla y el Racing de Santander; en 2005 volvió a México y ahora forma parte del Cruz Azul. Ha jugado en dos copas mundiales de futbol y a lo mejor has oído hablar de él, juega de medio de contención. Me gustaría ser su amigo, jugar con él un partido, sería padrísimo.

Y ahora, si no te molesta, voy a contar hasta diez para poder relatarte mi historia de la escuela. Y no cuento hasta diez porque esté enojado, sino para agarrar valor. Es como si me levantara luego de una falta y tomara aire para ir por la pelota.

XVIII

TE ESCRIBO lo que me pasa sin estar totalmente seguro de que vas a leer mi carta, porque no sé si tenga el valor de entregártela cuando vayamos a Morelia al cumpleaños de mi abuelita, si es que vamos, o de enviártela por correo.

No sé si mandártela, pues a lo mejor decides no abrirla porque no conoces a nadie que viva en la Ciudad de México, o quizá ya olvidaste mi nombre y no tienes ni idea de quién soy.

Tal vez, si tomas el sobre, pensarás que el destinatario está confundido, porque ¿quién puede mandarte una carta tan larga?

En cambio, si tuviera tu correo electrónico, todo sería más sencillo. No sé por qué Mario se tarda tanto en conseguirlo.

Una tarde, frente a tu casa, pensé: "Cuando seamos novios voy a traerle gallo, y los músicos se pararán aquí enfrente, como yo. Entonces estaré en medio esperando que Paulina encienda la luz".

Bueno, tal vez debo explicarte que *llevar gallo* quiere decir llevar una serenata. En España deben de decir así, ¿verdad? Mi papá le llevaba gallo a mi mamá cada cumpleaños; no lo hacía con mariachi, sino con un trío. Y no me preguntes por qué decimos *llevar gallo* porque no te lo sabría explicar.

Si yo pudiera llevarte una serenata, la verdad es que tampoco lo haría con mariachi, sino con un grupo de rock, y les pediría una música especial. A lo mejor me animaría a ir solo con Mario; es decir, yo con la guitarra y él con la batería.

Son cosas que uno piensa, ¿ves?, como pienso también que de tener tu correo electrónico nos la pasaríamos chateando, ¿no crees? O si sirviera tu teléfono, ya habría hablado contigo para explicarte que no desaparecí del mapa de un borrón nada más porque sí, que me importas, que…

No sé qué tanto te diría, pero serían muchas cosas, ¿sabes? Te hablaría de la música que estoy oyendo, por ejemplo. Te hablaría de esta ciudad que con contaminación y todo tiene lugares bonitos y gente buena, de la película que tengo ganas de ver, de los gatos de la vecina del tercer piso, de los restaurantes al aire libre de esta colonia, del enorme parque que está cerca de mi casa…

La Ciudad de México es grande y está llena de sorpresas porque es, al mismo tiempo, moderna y antigua: tiene muchos barrios coloniales, como el Centro Histórico o Coyoacán, y lugares súper modernos, ciudades dentro de la misma ciudad, como Santa Fe.

Mi papá nos ha llevado los fines de semana a pasear y, la verdad, hay lugares que impresionan, como el Zócalo, en el Centro Histórico, donde está el Palacio Nacional, o como Xochimilco o el Castillo de Chapultepec, un castillo de verdad donde vivieron los Niños Héroes, que fueron unos cadetes que defendieron el castillo y la bandera de México durante una invasión por parte de los Estados Unidos. Allí también vivieron Maximiliano, segundo emperador de México, y su esposa, la emperatriz Carlota. Él era austriaco y ella belga, y un buen día se les ocurrió a algunos países de Europa, ayudados por algunos mexicanos, que vinieran a gobernarnos.

El bosque de Chapultepec tiene un zoológico inmenso donde, por cierto, nacieron uno o dos osos panda, no lo sé bien. También hay un lago donde puedes embarcarte o darles de comer a los patos.

La colonia donde vivo, la Condesa, tampoco es fea; no vayas a creer que me quejo de vivir en el espanto. Vivimos en el sexto piso de un edificio viejo, pero remodelado. Es bonito el contraste de lo viejo con lo nuevo.

La otra noche se fue la luz y mi papá tuvo que subir todos los pisos y llegó muy cansado. Mi mamá le dejó el súper a la portera y le dijo que cuando llegara la luz bajaría a recogerlo, que no traía nada para el refrigerador, y que de todos modos sin luz daba lo mismo.

Pensándolo bien, no es la ciudad lo que me parece horrible, sino el cambio de vida. Te juro que ni la leche sabe igual. Mi mamá dice que la leche es de vaca y por tanto toda es idéntica, pero yo digo que la leche sabe distinto según la marca. La leche que tomábamos en Morelia sabía más rica, era más sabrosa. Fría parecía helado de vainilla. La leche de acá sabe a vitaminas. Voy a tener que probar varias marcas para ver cuál me gusta. Tengo que tomar leche por el fut, ¿sabes? Siempre el entrenador nos decía: "Un vasito de leche, un gol sin dolor", aunque no sé para qué la tomo, aquí todavía no he entrado al equipo de la escuela. Eso también me tiene enojado. Estoy en la reserva porque la escuela es muy grande. Pero cuando me den la oportunidad de jugar, vas a ver cómo me los voy a poner. No van a ver ni por dónde entrará el gol.

La ciudad es tan grande que mi papá lleva la Guía Roji abierta mientras nos trasladamos a cualquier parte, y cuando andamos en el coche todos vamos nerviosos porque con frecuencia nos perdemos. Mi mamá dice que la mejor forma de conocer un lugar es perdiéndose.

Por lo pronto, los fines de semana siempre salgo con mis papás, como si fuera niño de primaria. En Morelia, en cambio, los sábados y domingos, si no quería ir con ellos de compras o al club o a donde fueran, iba al cine con mis amigos o a visitar a los abuelos; y el sábado, a veces, tenía permiso para ir a una discoteca con mis primos. Aquí ni de chiste me dejarían ir a una discoteca solo, y menos con lo que me pasó en la escuela.

"Hasta que conozcamos a tus amigos. Ya ves…"

Eso de "ya ves", como te darás cuenta, es por lo que me pasó y que no te he contado todavía. Te lo voy a platicar después de comentarte que les protesté por escrito a mis papás. Es curioso, pero eso de escribir me gusta. Qué tonto, ¿verdad? Si no me gustara, no te estaría escribiendo.

Como no pude presentar mi reclamación en una oficina de asuntos familiares, se la di a mis padres por escrito para que quedara constancia de mi protesta:

Protesta oficial a mis padres

Protesto. No nos preguntaron a mi hermana ni a mí si queríamos mudarnos de casa y de ciudad. No se vale.

Extraño:
- a Paulina (puse tu nombre porque en mi casa no es un secreto que me gustas, ni modo),
- a mis amigos de la escuela y del barrio (sobre todo a Mario),
- al abuelo Ramón (le he pedido que me lleve a vivir con él).

Me hacen falta:
- mi equipo de futbol,
- el cine Iris,
- la Secundaria Lázaro Cárdenas,
- la tienda de discos de la esquina de mi casa (por las tardes trabajaba en el súper Las Jacarandas, y con mis ahorros compraba discos. También bajaba música de internet).

No me acostumbro a estar sin:
- mi calle (era muy tranquila),
- mi casa (nos cabía todo y en el patio tenía una canasta de básquet),
- mi cuarto (era más amplio, que el de aquí),
- mi clóset (aquí no me cabe nada).

Atentamente,
Ziné

Y lo peor de lo peor, como te he dicho, es que no me dio tiempo de despedirme de ti. De decirte que me gustas, que quisiera ser tu novio. Todo fue muy repentino, en serio:

"Tengo que presentarme mañana en mi nuevo trabajo. Me lo acaban de pedir", dijo en su momento mi papá.

En realidad no fue tan repentina la orden de que empacáramos. Mi mamá había estado viniendo a México para ver el departamento que rentamos y empacando para la mudanza; sin embargo, mi hermana y yo dejamos nuestras cosas para el último momento, con la esperanza de que no fuera cierto que nos íbamos de Morelia.

Como ves, no hubo *pero* que valiera.

La casa se la encargaron al tío Luis, que vive a una cuadra, y mi mamá irá a Morelia la próxima semana porque parece que surgió un candidato para rentarla.

Tampoco me hago a la idea de que alguien se instale en mi cuarto, duerma en mi cama y tenga un clóset inmenso, mientras yo no tengo dónde guardar mis discos, mis álbumes de futbol ni mi colección de coches.

Y lo verdaderamente insoportable fue que tuvimos que tirar muchas cosas. Ahora me arrepiento de haberme desecho de mi camiseta del Morelia Monarcas aunque ya no me quedara, sobre todo porque tenía el número diez.

Espero que no te moleste que el Morelia no sea mi equipo favorito, aunque Hugo Droguet de los Monarcas es uno de mis jugadores preferidos. Mi papá sí les sigue yendo a los Monarcas; le acabo de ganar un disco porque no llegaron a la final.

—Protesto por estar en una ciudad que no es mía —dije finalmente a mis padres.

Pero la única respuesta que obtuve fue:

—Era una oportunidad que no podíamos dejar pasar. Es para el bien de todos.

Es como cuando el árbitro se equivoca y marca una falta, y en el tiro libre te meten gol.

XIX

*B*UENO, pues aquí voy:

La segunda semana de clases llegué temprano a la escuela y como hacía frío fui al baño; allí me encontré a dos compañeros del salón. Uno me dijo, dándome un empujón:

—Con que eres muy abusado, ¿no, guëy?

No le contesté nada, y el otro me retó:

—Que muy bueno en matemáticas, ¿no?

Tampoco le contesté porque en el karate hemos aprendido a evitar las peleas. Salí del baño nervioso porque sentí su agresividad, sus ganas de pegarme.

Yo no les había hecho nada, y ellos me estaban tratando mal sólo por ser nuevo, por venir de provincia.

Cuando llegué al salón, los demás compañeros ya habían hecho a un lado las bancas y las sillas y estaban formando una rueda. Detrás de mí llegaron los dos cuates que estaban en el baño, y uno de ellos me dijo:

—A ver, escoge a uno para que te dé una calentadita.

No es por nada, pero me empezó a latir el corazón muy fuerte y contesté:

—No quiero lastimar a nadie.

Todos se rieron.

—Haz de ser marica —gritó uno de ellos.

Como vi que no me iba a quedar más remedio que pelearme con alguien, escogí a uno que se llama Julio Jiménez, que es más grande, más alto, más fuerte y más robusto que yo.

Todos se volvieron a reír.

—¡Ni que fueras Supermán! —me gritó un compañero.

—Que conste que yo no comencé, y que no se me ocurrió hacerte daño. Sólo para que no anden de payasos, me voy a defender —contesté.

Y que se lanza Julio contra mí. Lo paré con un pie y lo aventé. El susto que se puso con mi grito de exhalación, ése que hacemos los karatecas para distraer o asustar al contrario. Entonces me puse en guardia y palideció, pero se me dejó ir otra vez y lo tiré al suelo con una llave sencilla. Ni cuenta se dio de por dónde lo agarré.

Se levantó y volvió a aventarse, así que lo recibí con un codazo y se detuvo.

—Estás grueso, Morales. Ahí muere la bronca. Te queríamos dar la bienvenida, así se usa —me dio la mano, pero su mirada no era sincera.

Le di la mano y todos aplaudieron.

Cuando entró el profesor, vio que todas las bancas estaban fuera de su lugar y se enojó:

—Espero que no hayan agredido a su nuevo compañero porque los repruebo a todos.

Y uno que se llama Manuel dijo:

—Si nos salió cinta negra, maestro —y todos se carcajearon.

Yo me quedé callado para que no fueran a saber que sólo soy cinta verde.

Movimos todas las bancas, como si no hubiera pasado nada. Pero a mí se me quedó grabado ese momento porque de la nada sentí la agresividad de todo el grupo. Querían divertirse con mi sufrimiento, se siente feo. Ahora pienso qué hubiera pasado si yo no fuera karateca. Pues me hubieran partido toda la cara, ¿no crees?

Cuando le conté a mi papá, me dijo que había hecho muy bien en no pegarle a Julio Jiménez, que así mi fuerza era mayor ante mis demás compañeros, porque de veras que le pude haber dado su buena paliza.

Ahora, como que se me ha olvidado un poco, pero no te creas que me gustó el asunto.

Por lo pronto, uno de mis compañeros, Luis Hermosillo, me invitó a su casa y quiere que le enseñe karate. Ya le dije que mejor me ayude a buscar a un maestro cerca de la escuela o de mi casa y que vamos juntos. Yo creo que nos vamos a hacer amigos porque me he fijado que le gustan las mismas cosas que a mí, como las matemáticas y la música. Él no es fan de Zizou, pero lo respeta. Dice que le gusta Ronaldinho. No está mal, ¿verdad? Le voy a enseñar mi álbum de Ronaldinho.

Pues esto quería contarte. Ya pasé mi novatada, como dijo mi papá, y aunque salí bien librado, no creas que no me asusté. Pensé que yo sólo no iba a poder contra todos y, por otro lado, como te digo, me dieron ganas de romperle toda la cara a ése, pero me aguanté.

Por todo esto que te cuento estoy enojado, furioso; y cuando uno se enoja, cruza los brazos, tuerce la boca y se pone de mal humor. Tengo los brazos cruzados, pero no puedo torcer la boca porque uso braquets y me lastiman, como ya te dije. Y cada vez que me acuerdo me pongo de malas. Es mejor que cuente hasta diez, ¿no crees?

Es como cuando te dan un codazo, te empujan y te meten el pie, y el árbitro no marca nada.

XX

No lo puedo creer. Mario me acaba de mandar tu correo electrónico. ¡Estoy en estado de gooool! ¡Arriba el Cruz Azul! ¡Arriba Zizou! ¡Tu correo electrónico! ¡Gooooool!

Pateé la puerta del cuarto sin querer y vino mi papá a ver qué pasaba.

Cuando lo vi, grité:

—¡Gooool!

—¿De quién? —me preguntó asombrado.

—¡Ya tengo su correo electrónico! —le dije—: pau_gonza@hotmail.com.

Mi papá me abrazó y los dos gritamos:

—¡Gooool!

Alcancé a oír a mi hermana, que le preguntaba a mi mamá:

—¿Ziné está enamorado?

Mi mamá le pidió que no se metiera en lo que no le importaba y ella dijo que sí le importaba.

Después de todo, la Ciudad de México tiene sus maravillas. Mañana por la tarde comenzaré a trabajar en el café para comprar la *Biografía íntima de Zinédine Zidane,* que acaba de salir a la venta. Y la semana próxima iré a Morelia al cumpleaños de mi abuelita. No sé si te llevaré esta carta. ¡Qué bueno que Mario te explicó que nuestro viaje se adelantó y que no pude despedirme de ti!

Mi papá me acaba de decir que conoció a un primo hermano de Torrado y que le dijo que yo quería conocerlo. ¡Ay, que se me cumpla el deseo!

Ahora que tengo tu correo electrónico, no sé qué decirte. Lo estoy pensando, no sé cómo comenzar.

Es como si de pronto te dijeran que vas a jugar en el Mundial y no sabes ni qué hacer de la emoción.

Zinédine Yazid Zidane

Datos biográficos de Zizou

Nombre completo: Zinédine Yazid Zidane
Apodos: Zizou, El Zid, El Mago, Fast Mind, el Genio,
El Marqués del Césped, Mariscal Francés, Harry
Potter
Fecha de nacimiento: 23 de junio de 1972
Lugar de nacimiento: Marsella, Francia
Nacionalidad: francesa
Estado civil: casado
Altura: 1.85 metros
Peso: 80 kg
Cabello: castaño
Ojos: verdes

Familia
Su esposa: Veronique Lentisco, ex bailarina, hija
de emigrantes españoles
Sus hijos:
• Enzo (nacido el 24 de marzo de 1995)
• Luca (nacido el 13 de mayo de 1998)
• Théo (nacido el 18 de mayo de 2002)
• Élyaz (nacido el 26 de diciembre de 2005)
Sus padres: Smail y Malika
Sus hermanos: Djamel, Farid, Nourredine y Lila

Carrera profesional
Edad a la que dejó su hogar para jugar de forma
profesional: 14 años

Club en el que debutó: Cannes

Directivo del Cannes que lo alojó en su casa: Jean Claude Elineau

La mejor enseñanza que le dio Elineau: estar en forma para los momentos importantes

Año de su debut futbolístico: 1989

Equipos profesionales en los que participó:
- AS Cannes (Francia, 1988-1992)
- FC Girondins de Bordeaux (Francia, 1992-1996)
- Juventus (Italia, 1996-2001)
- Real Madrid (España, 2001-2006)
- Selección Nacional de Francia (2002-2004)

Partidos jugados: 108

Goles: 31

Número de camiseta: 5 (Real Madrid) y 10 (Selección Nacional de Francia)

Último partido profesional jugado: contra Italia, el 9 de julio de 2006

Títulos de sus equipos
- Campeón de la liga italiana: Juventus (1996-1997)
- Campeón de la liga italiana: Juventus (1997-1998)
- Campeón de la liga española: Real Madrid (2002-2003)

Títulos internacionales de sus equipos
- Copa Intercontinental: Juventus (1996)
- Supercopa de Europa: Juventus (1996)
- UEFA Champions League: Real Madrid (2002)
- Supercopa de Europa: Real Madrid (2002)
- Copa Intercontinental: Real Madrid (2002)

Títulos con la Selección Nacional de Francia
- Copa Mundial FIFA (Francia, 1998)
- Eurocopa de Naciones (Bélgica-Holanda, 2000)

Títulos individuales
- Mejor Jugador del Año FIFA (1998)
- Mejor Jugador del Año FIFA (2000)
- Mejor Jugador del Año FIFA (2003)
- Segundo Mejor Jugador del Año FIFA (2006)
- Tercer Mejor Jugador del Año FIFA (2002)
- Balón de Oro (1998)
- Balón de Plata (2000)
- Balón de Bronce (1997)
- Mejor Jugador del Mundial (2006)
- Onze de Oro (1998)
- Onze de Oro (2000)
- Onze de Oro (2001)
- Mejor Jugador de la Champions League (2001-2002)
- Mejor Jugador Europeo de los últimos 50 años, por votación de la UEFA (2004)

Sus pasiones
- Su familia
- El futbol

Jugadores favoritos
- El francés Michel Platini
- Enzo Francescoli, centrocampista uruguayo, estrella del Olympique de Marsella

Pasatiempos favoritos
- El cine
- Navegar en yate
- Pescar

Actividad actual
- Embajador de la UNICEF

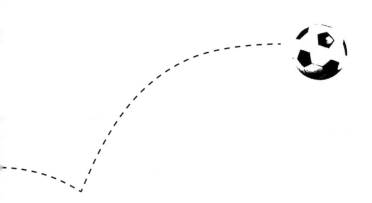

EL BARCO DE VAPOR

"Entre las cosas que detesto —y son muchas— están las peras, mirar partidos de futbol rodeado de mujeres, los colores pastel, la gente que habla mucho y dice poco..." Agustín es así: no se anda con rodeos. Pero un inesperado encuentro lo dejará fuera de lugar y sin palabras.

Mientras mira un álbum de fotos, un adolescente
que está a punto de terminar la secundaria recobra
momentos inolvidables de cuando era estudiante
de quinto grado. Dos hechos marcan el recuerdo:
una final de futbol y el robo de un corazón hecho
en barro para la clase de educación artística.

En estado de gol
se terminó de imprimir en mayo de 2013
en Duplicate Asesores Gráficos, S. A. de C. V.,
Callejón San Antonio Abad núm. 66, col. Tránsito,
c. p. 06820, Cuauhtémoc, México, D. F.
En su composición se empleó la fuente
ITC New Baskerville.